너의 계절을 담았어

오늘도시리즈
23

너의 계절을 담았어

발 행 | 2023년 11월 27일
공동저자 | 이하율.신수연.이나리.가치디자이너 왕혜연.미미.꽃자리.김지연
기획·디자인 | 꽃마리쌤
펴낸이 | 한건희
펴낸곳 | 주식회사 부크크
출판사등록 | 2014.07.15(제2014-16호)
주 소 | 서울 금천구 가산디지털1로 119, A동 305호
전 화 | 1670 - 8316
이메일 | info@bookk.co.kr

ISBN | 979-11-410-5513-4

www.bookk.co.kr

너의 계절을   담았어

작가님들의
다정한 이야기를 담았습니다.

당신의 . 이야기가 . 책이 . 됩니다

쓸수록 힘이 나고,
매일매일 행복해지는
한 줄의 기록

당신의 . 기록이 . 책이 . 됩니다

차
례

웃으며 한해를 마무리하는 5가지 방법

이하율

이하율

×

한해가 지나면 우리는 왜 한 것보다 하지 못
한 것들을 아쉬워할까? 진정한 힘은 지금 이
순간에 있다. 앞으로 남은 한해를 웃으며 마
무리 할 수 있는 5가지 방법을 소개한다.

한해를 웃으며 마무리하는
5가지 방법

언니와 대화를 나누며 벌써 올해도 얼마 남지 않았다는 사실을 깨달았다.

"와 벌써 12월이야"

"한 것도 없는 것 같은데, 금방 한 해가 지나갔네"

"나이들수록 시간이 더 빨리 가는 것같아"

하지만 중요한 건 지나간 과거가 아닌 지금 이 순간이다. 올해는 나름대로 매순간 스스로가 할 수 있는 최선을 다하며, 그 때 자신이 할 수 있는 최선의 선택을 하며 잘 보내왔을 것이다. 결과가 만족스러울수도 그렇지 않을 수 있지만, 중요한 건 모든 삶의 경험이 우리를 성장시킨다는 것이다.

그렇다면 앞으로 남은 올 한해, 그리고 내년은 더욱 멋지게 만들 방법은 무엇일까?

"사람을 가장 성장시키는 것은 당근일까 채찍일까?"

당근만 준다면 배불러서 움직이지 않고

채찍만 준다면 지쳐 쓰러질 것이다.

그렇다면 정답은?

그렇다. 당근과 사랑의 채찍을 적당히 이용하는 것이다.

나는 오랫동안 스스로를 채찍질 하며 성장시켜왔다. 하지만 앞만 보고 달려왔지, 지나온 과거를 보며 열심히 살아온 자신을 칭찬하지 하지 않았다.

하지만 "삶은 단거리 마라톤이 아닌 장거리 마라톤이다"라는 말처럼 우리는 모두 인생이라는 트랙을 달리는 마라토너이다. 그리고 긴 거리를 달리는 마라토너에게 필요한 건 적절한 때 물을 마시는 여유와 힘들 땐 달려온 거리를 다시 돌아보며

"여기까지 잘 왔다. 잘 하고 있다. 대단하다"

스스로를 격려하고 응원하는 것이다.

나는 마라톤 대회를 11번 참가하며 인생을 배웠다. 10km 마라톤 부터 42.195km풀코스 마라톤까지 단거리던 장거리던 중요한 건 목표의 중요성이다

목표점을 찍으면 그곳을 향해 계속해서 달릴 수 있기 때문이다. 새해가 되면 우리는 새로운 계획을 세운다. 지난 날을 리셋하고 무언가 새롭게 시작할 수 있다는 희망이 있기 때문이다.

"나는 올해 다이어트해서 5kg를 감량해야지"

"심리학 관련한 자격증을 모두 섭렵하겠어!"

"내년에 대학원에 들어가기 위해 필요한 준비를 모두 마쳐야지"

사람은 나답게 살 때 자유롭다. 그래서 도전을 한다. 원하는 일을 일찍 찾은 사람도 있지만 그렇지 않은 사람도 많다. 나는 중학생 시절부터 한복 디자이너라는 꿈이 있음에도 불구하고 하고 싶은 일이 많았다. "도전하는 사람은 언제나 청춘이다"라는 말을 믿고 나만의 버킷리스트를 적고 70여개의 꿈에 도전하기 시작했다. 혼자 세계배낭여행서 부터 철인삼종경기 도전, 풀코스 마라톤, 미인대회 도전, 내가 쓴 시나리오로 라디오 진행하기, 대학교 홍보대사 해보기, 책 1,000권 읽고 책유튜버 도전하기, 개인 방송하기 등 꿈을 하나씩 이뤄갈 수록 중요한 것을 깨달았다. 직접 해보지 않고서는 나에게 잘 맞는지 그렇지 않은지 모른다는 것이다.

세계배낭여행은 처음엔 겁많은 나에게 어려운 도전이었지만 나중에 17개국 53개도시를 혼자 다닐 정도로 여행은 즐겁고 흥미로운 일이다 라는 것을 느낄 수 있었고, 개인방송은 실제로 도전해보니 긍정적인 에너지를 사람들에게 전하자! 라는 목표에 맞춰 시청자분들께 책도 읽어드리고 동요도 부르고 그림 그려드리는 등 다양한 활동을 하며 좋은 분들도 많이 만나고 기억에 남는 추억을 만들 수 있었다. 그러나 나의 부족함과 한계가 있다는 것을 알았고, 더욱 많이 공부하고 내면을 단련해야겠다는 깨달음을 얻는 계기가 되었다. 책과 거리가 멀었지만 책을 읽으면 인생을 살며 더 나은 선택을 할 수 있다는 말에 책 천 권읽기 라는 버킷리스트를 만들어 책을 읽고난 후 예상과는 달리 나의 인생이 180도 바뀌는 계기를 만들게 되었다. 상식이 쌓일수록 말할 거리가 많아져 자연스럽게 말을 잘한다는 칭찬을 듣게 되었고, 유튜버도 도전할 수 있게 된다. 하고 싶은 말을 글로 옮기다 보니 블로그를 운영한지도 어느덧 9년차가 되었다. 어릴 적 작가님들은 많은 지식을 쌓은 분들만 할 수 있다고 생각했지만 도전을 하며 다양한 경험을 쌓다보니 내가 할 수 있는 이야깃거리가 생겨 경험을 직접 경험한 것을 바탕으로 글을 적게 되었고 꿈인 작가가 될 수 있었다. 9년 전의 나로선 지금의 나는 상상할 수 없을 정도로 많이 발전해 있었다.

목표는 사람을 성장하게 만든다. 목표지점을 찍고 앞으로 나아갈 수 있도록 만든다. 목표는 결과가 아닌 과정인 이유는 나아가는 과정에서 다양한 경험을 할 수 있기 때문이다. 두렵고 겁많은 나를 움직일 수 있는 원동력은 목표였다.

스스로에 대한
믿음 키우기

나는 몇 년 전까지만 해도 자존감이 낮은 사람이었다. 뭔가 새롭게 도전할 때
"과연 내가 할 수 있을까? 실패하면 어떻하지?"
걱정 때문에 오히려 일을 그르친 적도 있다. 하지만 지금 생각해 보니 자연스러운 일이었다. 사람이 아직 오지 않은 미래에 대해 고민하는 이유는 아직 겪어보지 않았기 때문이다. 하지만 인간은 적응이 빠른 생명이기도 해서 막상 그 상황이 되면 어떻게서든 해내기 위해 최선을 다한다. 두려움을 "하지마 위험해"가 아닌 "변화의 신호탄"으로 받아들이면 마음이 한결 나아진다.
"변화는 원래 불편하다"라는 말을 기억하자. 사람은 습관의 생명이기도 하다.
오늘 하던 일을 하는 건 습관적으로 잘 해낸다 하지만 어제와는 다른 새로운 길을 가고, 매일 만나던 사람이 아닌 새로운 사람을 만나는 건 어렵다고 생각한다. 하지만 지금 익숙한 일도 처음엔 어려웠다. 계속 하다보면 자연스럽게 쉬워지고 내가 의도하지 않아도 무의식적으로 하게 만든다. 그래서 나는 다양한 도전을 하며 변화를 자연스러운 일로 만들었다.

그리고 늘 두려운 마음이 들 때, 되새겼다 "그래 새로운 변화는 원래 불편해. 하지만 내일은 더 나아질거고 내일 모레는 좀더 수월해진다는 것을 알아" 믿음은 경험에서 나온다. 백날 긍정확언으로 '나는 할 수 있어'라고 말해도 무의식적으로 자신이 직접 시도해보지 않으면 "과연 내가 할 수 있을까?"로 남아있게 된다. "Just do it!"이라는 나이키의 슬로건도 마찬가지로 일단해봐! 그러면 너의 것이 될테니!" 라는 뜻을 내포하고 있지 않을까? 자존감이 낮았던 나는 무수히 많은 노력을 해왔다.

성장의 5단계

내가 생각보다 할 수 있는 게 있네!(1단계 : 희망)
나도 노력하면 조금씩 나아질 수 있구나(2단계: 성장)
그래 이번에도 일단 해보자(3단계: 용기)
시작하기로 결정한 이상 포기하지 말고 끝까지 해보자!
(4단계: 책임감)
도전하는 매순간 나는 성장하고 있어 (5단계: 즐기기)
하나의 행동의 결과로 자신에 대한 믿음을 얻었고 더 행복하게 살 수 있는 '의식의 업그레이드'를 경험할 수 있었다. 내가 무섭고 두렵다고 움츠려 있었다면 이런 성취감과 행복도 느낄 수 없었을 것이다.

나를 존중하기

자존감이 낮았기에 책속에서 자기사랑이 무엇인지 찾으려 많은
노력을 했다.

"사랑이 가장 위대한 힘이다"

"나는 나를 사랑해 라고 습관적으로 외쳐라"

라는 말은 사실 그리 와닿지 않았다. 그래도 일단 했다. 거울을
보면 미운 점만 보이는 나에게 "그래도 나는 나를 사랑해" 가까
운 다른 사람들에게도 "나는 나를 사랑해"라고 말하면 더 자신을
사랑할 수 있어요!" 라며 나름대로 좋은 마음을 전파하려고 애썼
다 그러나, 정말 중요한 것은 모르고 있었다.

진정한 나를 알아가려고 노력하는 것이 바로 사랑이라는 사실을.

우리는 어려서부터 너무 많은 정보를 듣고 보고 자란다.

"키가 커야 된다, 얼굴이 예뻐야 인기가 많다, 공부를 잘 해야 성
공한다"등 이것을 해야만 하고 저 조건을 충족해야 괜찮은 사람
이 된다. 그래야 잘 사는 것이고 그렇게 해야만 성공하는 것이기
에 '지금은 충분하지 않다'는 그릇된 결론에 이른다. 그래서 사
는 내내

'나는 충분하지 않아. 완벽하지 않은 내가 싫어. 나는 왜 이럴까.
저 사람은 인기가 많고 잘 사는 것 같아 비교가 돼 내 인생은 마

음에 들지 않아' 스스로를 파괴하는 생각으로 가득해서 정작 중요한 것들을 놓친다.

예를 들면 아무리 백만장자라도 내일 죽는다면 그 돈은 다 무슨 소용일까?

건강하지 않다면 가고 싶은 곳에 가지도 못하고 먹고 싶은 음식도 먹지 못한다. 이것이 당연한 것일까? 그렇지 않다. 하지만 사람은 알면서도 매순간 놓치고 산다. 자신이 가진 것보다 가지지 못한 것에 집중하게 되고 진짜 행복은 마음 속에 있다는 것을 알면서도 바깥에서 행복을 찾는다. 흔한 말처럼 들릴지 몰라도- 진짜 행복은 내가 가진 것을 '인지'하고 '감사'하게 여길 때 잔잔한 감동과 있음의 충만함을 느낄 수 있다. 사람은 저마다의 인생을 살기에 완벽해 보이는 그 사람도 그만의 고민 걱정이 있을 수 있고, 아무리 보잘 것 없어 보이는 그 사람도 춤추고 노래할 정도로 충만하게 인생을 즐기며 살 수 있다. 모든 것은 내 마음에 달렸기 때문이다.

내가 무엇을 좋아하고 언제 행복하고 누구와 함께 할 때 즐거워서 신바람이 나는지 알아가는 것이 삶이고 진짜 행복이다. 인생은 생각보다 그리 길지 않다.

"웃기에도 짧은 인생이다"라는 옛말은 정말 사실이다.

좋아하는 일을 하며 좋은 사람들과 마음이 행복해지는 칭찬과 격려를 주고 받으며 사는 것, 그리고 이번 생에서는 더욱더 나를 사랑하고 다른 이들도 사랑의 눈으로 바라보며 웃으며 살기 위해 온 것이지 매일 아침 억지로 눈을 뜨고 괴로워 하며 살기 위해 이 소중한 삶이 그 무수한 경쟁률을 뚫고 우리에게 찾아온 것이 아니다. 생각해보면 무수히 많은 가능성 속에 우리는 지금 이 순간 살아있다. 로또보다 훨씬더 희박한 확률로 엄마 아빠의 정자와 난자가 만났고, 오랜시간 엄마 뱃속에 품어져 이 세상에 나왔다. 할 줄 아는 건 우는 것 밖에 할 줄 모르던 내가 글을 배우고 걷고, 뛰고 사람들과 대화를 나누고 공부를 해서 학교에 가고 사회에서 일을 할 수 있다는 건 어찌 보면 엄청난 기적이다. 하지만 우리는 살다보면 우리가 얼마나 대단한 업적을 이뤘는지 모를 때가 많다. 당신은 기적이다. 그것 하나는 확실하다.

미뤄둔 일을 시작하기

그렇다면 우리는 앞으로의 삶을 어떻게 살아야 좋을까? 정답은 없다. 그러나 각자 하고 싶은 일 그러나 미뤄둔 일 하지 못했던 일들을 하나씩 해보며 인생 속에 다양한 경험과 추억을 만드는 것. 그것이 스스로에게 전할 수 있는 가장 깊은 사랑이자 선물아닐까? 거창한 게 아니더라도 괜찮다. 시간의 여유를 내어 그동안 가고 싶은 여행지에 간다. 그날 만큼은 맛있는 음식도 마음껏 먹자. 관심있는 공부가 있다면 자투리 시간을 내어 공부해보자. 운동을 미뤘다면, 10분이라도 집앞 산책을 나가자 가장 좋아하는 음악을 골라서 흥얼거리기도 한다면 운동이 아닌 즐거운 시간 기다려지는 순간이 될 수 있다.

모든 것은 작은 실천에서 시작한다.

밝은 희망적
미래 그려보기

내가 자주 듣는 음악은 예전에 유명했던 드라마, 드림하이 OST 중 [드림하이]이다.

신나는 비트보다 더욱 좋은 건 희망을 주는 가사이다. "드림하이 ~ 난 꿈을 꾸죠 힘들때면 난 눈을 감고 꿈이 이뤄지는 그 순간을 계속 떠올리며 일어나죠. 나는 믿어요 언젠가 자유롭게 날아오를거에요!"

우리는 죽는 그 순간까지 원하는 밝은 미래를 그려야 한다. 자신이 하고 싶은 일이 무엇인지 모른다면 소중한 시간을 허비하게 된다. 나중에 지나고 보면 남는 게 없을 지 모른다. 지금 꿈이 없어도 괜찮다. 그러나 최소한 질문은 계속 하는 노력은 해야한다.

"나는 무엇을 할 때 시간이 가는 줄 모르고 했었나?" 그냥 침대에 누워 그 질문만 해도 괜찮으니 끝까지 포기하지 말고 나만의 꿈을 찾자. 사람은 간절하면 무엇이라도 시작하게 된다. 아무리 커다란 꿈도 이루기 위해 무언가 할 수 밖에 없다.

"꿈을 생생히 상상하라 그럼 이뤄질 것이다!"

라고 말하는 이유는 두뇌를 풀가동해서 우리의 소중한 꿈을 이룰 수 있도록 행동하게 만들기 때문이다. 뇌는 반복해서 떠올리는 것만으로도 신경세포의 회로가 만들어진다. 쉽게 말해 도로를 만드는 것이다. 길을 만들면 길이 보인다. 우리의 뇌는 슈퍼 컴퓨터 보다 똑똑하다. 뇌의 전두엽은 우리가 원하는 것에 집중할 수 있도록 돕는다. 마치 머리를 자를 때가 되면 길거리를 걷다가 사람들의 헤어스타일이 눈에 들어오고, 외투를 사야하는 겨울이 되면 저 사람은 무엇을 입었나? 유심히 관찰하게 되는 것도 무의식적으로 뇌가 우리가 중요하다고 생각한 것을 콕 찝어 집중할 수 있게 돕기 때문이다. 이를 '신경가소성의 원리'라고 부른다. 여기에서 중요한 건 꿈이 이뤄질 기회를 잘 포착할 수 있기 때문이다. 사람은 하루에 평균 4~5만가지의 생각을 하는데 그중 우리가 생각하는 것은 5%밖에 되지 않지만 나머지 95%는 무의식적으로 이뤄진다. 따라서 계속 원하는 것이 무엇인지 생각하고 상상하면 우리가 가진 똑똑한 뇌는 원하는 것을 포착해 내 앞에 가져다 줄 것이다. 그 때 우리는 행동으로 옮기면 된다.

우리는 모두 행복한 삶을 누릴 권리가 있다.
만약 지금까지의 삶이 만족스럽지 않았다면 "지금 이 순간부터 다시 바라는 역사를 쓰자" 그리고 새롭게 시작하자. 매순간은 기회이다.
역사에 길이 남는 위인들도 처음부터 위대한 사람은 단 한 사람도 없었다. 자신이 중요시 여기는 가치를 찾고 하나씩 도전해보며 계속해서 성장했기에 그 자리에 오를 수 있었던 것이다.
우리 모두가 자신만의 소중한 꿈을 이루는 데 필요한 모든 자질을 갖고 태어났다. 넘어졌다면 또 다시 일어날 수 있다.

"끝날 때까지 끝난 것이 아니다"

진정한 나 자신으로 살아가는 기쁨을 누리자. 살아있는 한 희망
은 있다.

언제나 자신에게 묻고 또 묻자.

"내가 삶에서 진정 원하는 게 뭘까?"

인생의 때

신수연

신수연

×

나는 지금 어떤 때인가.
아이들은 어떤 때에 있는가.
어떤 마음으로 대하고 있는지.

어떤 방향으로 나아가야 할지 고민하면서.

어떤 때였을까.

둘째를 가지면서 그만 둔 직장에 대해 남편은 아쉬워한다.
어려워질 걱정 없는 대기업 같은 병원인데다 복지도 좋았다.
10년을 채우며 나의 입지도 좋았다.
겉으로 보이는 사실만 따지면 그렇지만, 내 마음은 그렇지가 않았다.
제자리에만 있는 듯한 상황이 답답했다.
지금도 한 번씩 나에게 물어보기는 한다.
왜 그때 그만 두어야겠다는 마음이 일어났을까.
다른 일을 해 보고 싶다는 생각을 했다.
일단 뭐라도 변화를 주어야 한다고 생각했다.
무언가 불만 가득하면서 똑같은 얘기만 하는 사람들 틈에서 나오려면.
내 주위 환경을 바꾸려면.
내가 바꾸려 애써도 바뀌어지는 게 아니라면.
결론은 그만두어야겠다.

어쩌면 내가 그 상황을 다르게 볼 수도 있었을 텐데
그때는 그렇게만 보았다.
후회는 없다. 그래서 이렇게 나의 생각을 표현하는지도 모른다.
끌려가듯 당연한 듯 다니던 직장을 그만두면서
새로운 일도 해보게 되었고, 새로운 사람들도 알게 되었고,
나의 눈은, 생각은
조금은 더 넓어졌다.

그런 때였을까.

어린이집이 문을 닫다.

육아휴직 후 바로 복직을 해야 하는 나는 아이가 돌이 지나면 어린이집으로 보냈다. 첫째가 보낸 어린이집으로 둘째도 그렇게 보냈다.

아이가 걸음마도 떼지 않은 상태이니 아이들이 많은 큰 시설보단 작은 가정형이 낫다고 생각했다. 모든 면에서 다 좋다고 생각한 건 아니지만 아이가 기분 좋게 다녀온다는 그 자체로 감사했다.

둘째를 보내면서 문득 첫째가 다녔을 때보다는 아이들의 인원이 적다고 느꼈지만 오히려 그게 좋은 점이라 생각했다. 같이 다니는 아이들도 사실 첫아이를 보낸 집의 둘째들이라 엄마들끼리도 내심 만족하여 보내는 걸 안다. 코로나가 잠잠해지면서 어린이집 아이들도 이제 조금은 늘지 않을까.

후반기가 되어 아이들 등록하는 시기였을까.

아침 아이를 맡기면서 인사하는 중에 원장선생님께서 어린이집 유지가 어려워 내년에는 다른 곳으로 보내셔야 할 것 같다는 얘기를 하셨다.

처음엔 시간이 지나면 아이들이 늘어날 텐데 왜 그런 결정을 내리셨을까. 내 아이 다닐 때까지는 있었으면 하는 아쉬움부터 생각했다.

다른 어린이집을 알아보고 상담을 하면서 나도 안만 보고 있었구나 싶었다. 어쩔 수 없이 받아들여야만 하는 그런 때인가.

신문을 읽으면서 알게 된 줄어드는 인구수의 문제에 대해서 알기는 했지만 어린이집을 운영하는 사람들은 더 느꼈을 터였다. 내가 사는 아파트 단지 내에는 사실 어린이집이 동마다 있을 정도로 많기는 하다.어느 날 앞 동의 다른 가정형 어린이집이 공사를 한다.

부모로써도 아쉽지만 참 마음이 무언가 짠하다.

유치원이 문을 닫다.

부모참여 수업이 있는 날이었다.

어린이집 일이 있고 나서는 사실 불안했다. 같은 동에 살아서 인사를 종종 하는 엄마를 원에서 만나 안부를 나누다가 유치원 인원이 내년에는 좀 늘 겠죠 했다.

아이들과의 수업이 다 끝난 후 부모들만 따로 모이게 하였다.

원장님께서 갑자기 울먹이며

"이런 얘기를 하게 되는 날이 오게 될 줄 몰랐습니다.

아이들과 끝까지 하고 싶었는데. 이런 얘기를 드리게 되어 죄송합니다." 하 셨다.

일찌기 안부를 나누던 그 아이 엄마의 놀란 눈과 마주쳤다. 얼른 얼굴을 돌 렸다.

괜시리 나도 눈물이 나올 것 같았다.

교실의 다른 곳을 응시하며 눈물을 흘리지 않으려 애썼다. 이건 무슨 마음 일까. 선생님들의 마음도, 아이들의 마음도 어떨까.

적잖은 충격이었다. 시대의 흐름인가.

그렇게 갑자기 상담을 하러 다니게 되었고, 아이들의 수가 줄어들고 있는 건 분명했다. 어느 유치원이든 앞으로 어떻게 해나갈지 계속 고민 중인 듯 했다.

첫째에게 오히려 다행이다 싶기도 했다. 2년을 다녔으니 조금은 환경을 바 꿔 다른 유치원을 다녀보는 것도 좋을 것도 같았다.

유치원은 옮겨서 다니면 되는 거다. 우리 집이 불교는 아니지만 템플 스테 이도 하고 아침에 명상도 한 번씩 한다는 거에 바로 선택했다. 늘 방방 떠 있는 아이들 마음 가라앉힐 시간도 필요하다는 나의 생각으로.

아이들에게도 지금이 무언가 변화가 있는 그런 때이지 않을까.

나에게 영어란...

영어를 잘하고 싶다는 그 어떤 한 가지.
딱 맞는 표현이 무언지 모르겠지만 그렇게 영어의 한쪽 끝을 잡고서는 놓지를 않고 있다.

대학생 때까지는 시험을 위한, 취업을 위한 공부였다.
직장을 다니면서는 자유로운 대화를 위한 영어를 하고 싶었다.
직장을 다니면서도 1년 패키지로 학원도 다녀보고, 전화영어도 시도해 보고, 인강도 신청했다.
직장의 위치가 다른 도시로 바뀌게 되고 결혼을 하게 되면서 멈추게 되었다.
첫아이 육아에만 있던 관심이 나에게로 오면서 또 인강을 시도했다.
역시나 집으로 온 교재만 남았다.
어떻게 하면 지속적으로 내가 해낼 수 있을까.
영어를 놓지 않을, 매일 할 수 있는, 어떤 방법이 좋을까.
그러다가 SNS로 알게 된 원서낭독을 하게 되었다. 내가 스스로 하기만 하면 되는 거였다. 까페에 녹음한 것을 올리기만 하면 된다. 한 달이 두 달이 되고 그렇게 1년이 되었다. 1년의 원서낭독은 나에게 많은 작은 성공을 맛보게 했다.
직장을 다시 다니게 되면서 원서낭독도 잠시 멈추게 되었다. 다른 곳으로 에너지 소비가 늘어나니 원서의 분량이 힘들게 느껴졌다.
지금 상황에서는 어떻게 하는 게 좋을까. 점심시간에 할 수 있는 오프라인 1:1 수업을 찾아보았다. 비용이 적은 비용이 아니었다.
직장 다닌 지도 얼마 되지 않은데다 아이들 때문에 변동성이 많아 섣불리 결정을 내리기가 어려웠다.
그때 또 새로운 SNS 수업이 생겼다. 원서낭독 대신 생활 회화 내용으로 매일 낭독 인증하는 것이다. 책 연계된 어플로 강의도 들을 수 있다.

원서 낭독보다는 생활회화가 분량이나 난이도 면에서 부담이 적어서 조금은 가볍게 하고 있다. 내 목소리 녹음에 대한 두려움도 적고 내 영어 발음도 자신감이 생겼다. 원서낭독을 그렇게 해냈기 때문이겠지.

잘하고 싶다는 그 하나로 지금도 계속하고 있다.

보컬수업

내 목소리를 내는 것에 항상 두려움이 있었던 것 같다.
말을 잘한다고 생각하지 않는 데다 늘 자신감이 없었다.
그럴 이유가 없는데도 그랬다. 조용하게 있는 듯 없는 듯 자랐다.
그래서인지 무언가 표현하고 싶은 욕구가 있는지도 모른다.

첫 수업을 받고는 앞이 막막했다.
연습량이 중요하단다. 다른 날 시간이 가능할 때 와서 연습해도 된다는 확인
을 받았다. 그렇게 점심시간만 되면 40분이든 50분이든 연습을 하러 왔다.
점심 먹고 가만히 쉬는 것보단 조금은 바쁘더라도 학원에 와서 소리를 내며
연습을 하고 나니 한쪽으로 치우친 생각을 바꾸게 되어 기분이 더 좋았다.
처음 상담할 때 준비한 노래를 부르고 들은 평이 책 읽듯이 한다고 하였는데
수업 4주째에 접어드니 왜 그런 말을 했는지 느꼈다.
낮은 음이라도 한 소절 한 소절을 그냥 부르는 게 아니라는 걸 알게 되었다.
이왕이면 잘 배워야지 싶어서 목이 쉴까 싶어 목 관리도 신경 쓰게 된다.

최근 수업을 마치고 나오면서 대기하고 있던 다른 수강생을 보게 되었다.
나보다는 나이가 한참 많은 50대는 넘어 보이시는 분이었다.
어떤 일을 하시는 분일까 궁금했다.
배움의 때는 끝이 없다.

평생 다이어트 중

고등학교 때까지는 외모에 대해 신경을 쓰지 않았다. 신경 써야 한다는 생각을 전혀 안했다. 참 너무 순수했다.

대학생이 되어서 헬스장을 다니기 시작했다. 운동이라고는 숨쉬기만 했었는데 하체 비만에다가 없는 체력은 나를 쉽게 지치게 했다. 어설픈 연애와 사회생활을 하면서 듣게 되는 몸매에 관한 핀잔은 무언가 다이어트에 집착을 하게 만들었다. 굶으면서 운동도 하고, 원푸드 다이어트, 병원 식욕억제제도 먹어보고, 효소며 다이어트 관련 식품도 먹었다. 헬스장은 평생 끊은 적이 없다. 중간중간 재즈댄스며, 스쿼시, 요가, 마라톤, 필라댄스도 했다. 직장인으로 안정되면서 식이조절과 함께 PT를 하면서 체중을 많이 줄여나갔다. 떡이며 빵이며, 맛집가기를 좋아하는 나는 어떻게 평생 이렇게 운동하고 식이를 해야하지 싶었다.

결혼 전까지 그렇게 매달린 운동을 멈추게 한 건 임신과 출산이었다. 첫아이를 놓고 나서는 불안했다. 불어난 내 몸을 보며 그렇게 운동하고 애썼던 건 다 없어진 거 같아 우울하기도 했다.

그럼에도 복직때문에 다시 산후 필라댄스도 하고 식이조절을 했다. 둘째를 놓고 나서도 산후 필라댄스를 하면서 관리를 했다. 독하게 했다.

지금은 운동을 안한다. 먹는 거에 대한 스트레스도 없다.

운동을 오래 해서 그런지 요요가 잘 오지도 않지만 그렇다고 먹는 걸 아무렇게 먹지도 않는다. 체력이 나쁘지도 않다.

누가 봐도 나는 마른 몸이 되었다.

오랜 시간 해온 운동과 식이는 그렇게 나에게 남는다.

지금의 때는....

~~~~~~~~~~~~~~~

~~~~~~~~~~~~~~~

~~~~~~~~~~~~~~~

계획에 없던 둘째의 출산이 일을 그만두게 되는 핑계로 되었지만,
조건 없이 나를 사랑해주는 아이가 둘이 되었다.
병원 일이 아닌 새로운 다른 업으로 일을 해보게 되면서
차가 꼭 필요했기에 개인교습으로 운전을 다시 배우게 되었고,
혼자서 다른 지역으로도 다녀보게 되어 운전 경력이 늘었다.
물론 그때부터 남편이 없어도 아이 둘을 데리고 할 수 있는 일이 늘었다.
다른 일들을 시도해 보면서 나에게 맞는 일이 어떤 일일까 다시 생각해 보
게 되었다. 그 일을 하는 사람들에 대해서 바라보는 시각도 달라졌다.
나의 인간관계도 조금은 더 넓어졌다.
둘째의 육아로 인한 잠깐의 여유시간은 나에게 집중하는 시간을 더 가지게
했다. 그때부터 기록으로 남기듯 이렇게 책을 하나씩 내고 있다.
했던 일이 제일 쉽다고 다시 시작한 병원 일은 또 달랐다.
환자를 응대하는 일이나 어떤 일에 있어서 조심스럽게 대처한다..
암환자나 중증환자들을 대해야 하는 일이 생겨서 환자들의 이해의 폭이 늘
었다. 몰랐던 여러 기기를 다루게 되었다. 새 직장에서의 새로운 인간관계
가 생겼다.

하루하루를 무사히 견뎌내듯 직장 생활을 이어가고 있다.
그러면서 내가 하고 싶은 일들을 하나씩 유지해가고 있다.

손글씨의 점·선·면_
그 부단함에 대하여

이나리

이나리

×

손글씨를 꾹꾹 눌러쓰며 느꼈던 나의 일상
의 깨달음, 매일의 힘을 믿고 부단히 나아
가는 과정들을 점, 선, 면이라는 작은 주제
로 나누어 이야기합니다. 언젠가 면과 면이
만나 공간을 이룰 그날을 마음속에 그리며
오늘을 씁니다.

손글씨의 이유

글씨를 손으로 쓰는 일은 지금과 같은 디지털 시대에 지루하고 고루한 과정처럼 느껴진다. 휴대폰만으로도 아름다운 글씨체를 찾고 원하는 글을 써내려가 만족스러운 결과물을 쉽게 만들어 낼 수 있는데 굳이? 왜? 이런 질문들을 스스로 하게 된다. 그럼에도 불구하고 나는 왜 손으로 써내려가는지 이야기하고 그 부단함에 대해 같이 나누고 싶다.

너무도 쉽게 두드리기만 하면 쓰고 지워지는 익숙한 과정들 속에서 손으로 직접 쓰는 행위들은 나에게 들려주고 싶은 이야기들을 마음 깊이 새길 수 있게 한다. 컴퓨터 자판으로 만든 화려한 글씨들 보다 더 깊게 새겨지고 잊히지 않을 것이다. 무엇보다도 글씨를 쓰는 과정에서 얻게 되는 기쁨들, 부단한 과정들 안에서 느끼는 깨달음은 삶을 어떻게 살아가야 할지 생각하게 한다.

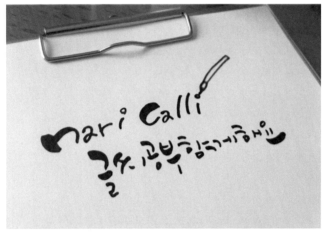

naricalli _ 글씨공부 함께해요, 2020

점_
쓰기를 준비함에 있어

무언가를 마음먹고 시작하는 것은 쉽지 않은 일이다. 손글씨를 쓰기 위해 준비하는 붓, 먹, 화선지.... 재료들을 깔고 마음을 먹기까지 시간은 꽤나 걸린다. 우선 준비하는 과정만으로도 피로하다. 이렇게 준비하고 나면 손도 풀 겸 점도 찍고 선도 그려본다. 여기까지 왔다면 반은 온 셈이다.

어떤 일이든 시작하는 것에 참 중요함을 느낀다. 머리에 수많은 아이디어들이 난무하지만 시작하기까지 쉽지가 않다. 완벽에 가까운 생각들을 구현해 낼 수 없을 것이라는 자신 없음은 자꾸만 시작을 주저하게 한다.

그래도 해보자. 그냥 그런 날처럼 느껴지는 날은 그저 점이라도 찍어본다. 완벽하지 않아도 된다.

"그냥 첫 발을 떼라. 그리고 다음발, 또 다음 발..."

_시작의 기술中

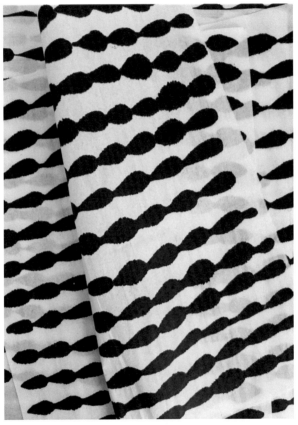

오늘의 연습1

선_
매일 매일

매일이 똑같은 그런 날 그렇게 글씨를 쓰다 보면 앞으로 나아가는지 뒤로 가는지 모를 막연함이 밀려온다. 이렇게 지친 하루는 선만 혹은 점만 찍는 걸로... 매일의 계획은 "재료를 책상 위에 가지런히 올려놓기!, 먹물 그릇에 먹물 따르기!, 먹물이 너무 마르기 전에 잽싸게?! 점찍기, 선 그리기!"까지이므로 오늘도 성! 공!! 나에게 작은 성공을 안겨주면 그저 그런 날도 기쁘게 해낼 수 있다. 그렇게 매일이 쌓여 간다.

꼭 매일이 아니더라도 무언가를 꾸준하게 이어나가는 것은 참 힘든 일이다. 배움이 늘어갈수록 마음이 급해져 금방이라도 큰 결과물이 눈앞에 놓여있기를 바라기 일쑤다. '이 정도 했으면...'이라는 마음이 불쑥 나타나 아름다운 결과물을 종용한다. 당연히 안 나온다... 나올 리가 없다. 이런 매일매일이 때로는 지치기도 하지만 그럼에도 불구하고 오늘도 '점찍는 날!' 하고 기쁘게 지나가다 보면 갑자기 어느 날 어제와 다른 나를 느낄 때가 있다.

점에서 선으로

오늘의 연습2

잘 안되던 일들을 오늘은 수월하게 이뤄내듯 나도 모르는 사이 나만의 실력을 다지고 있는 것이다. 글씨를 쓰며 배운 이 사실은 어떤 일이든 당장의 결과가 아닌 어제보다 나아진 모습에 감사해 하고 끊임없이 정진할 수 있도록 도와준다.

> "之之之中知 行行行中成(지지지중지 행행행중성)"
> 가고 가고 또 가다 보면 알게 되고, 행하고 행하고 또 행하게 되면 이루게 된다 　　　　　　　　　　 _ 실행이 답이다

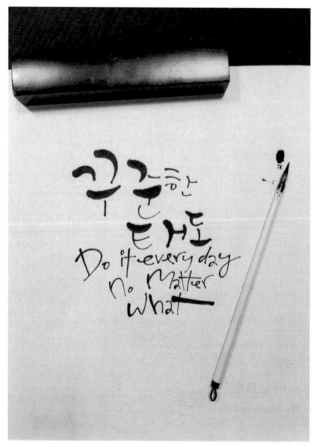

꾸준한 태도 Do it everyday no matter what, 2023

나에게 들려주고 싶은 이야기, 2020

면_
자기 확신

"단 한 가지 방법밖에는 없습니다. 자기 자신 속으로 침잠 (沈潛) 하십시오... 조용하고 진지하게 당신의 발전을 통해서 성장해가도록 하시는 것입니다. 가장 은밀한 시간에 당신 내심의 느낌을 통해서만 해답을 내릴 수 있는 의문에 대해서, 밖을 향하거나 외부로부터 그 해답을 구하려고 하지 마십시오"

_ 젊은 시인에게 보내는 편지中

젊은 시인은 릴케에게 자신의 시를 평가해 달라는 편지를 보낸다. 그러자 릴케는 그에게 '당신은 자기의 밖을 내다보고 계십니다... 누구도 충고를 해주거나 당신을 도와줄 수는 없기 때문입니다'라고 말하며 자기 자신에게 침잠(沈潛)할 것을 충고한다. 그 누구도 아닌 자신에게 근거를 찾고 파고들어 창작의 내적필연성을 찾을 때야말로 진정한 작품을 만들어 낼 수 있다는 겸손한 충고는 나에게도 큰 울림으로 다가온다.

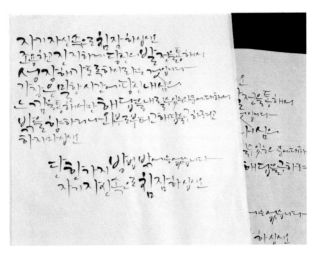

젊은 시인에게 보내는 편지 _ 라이너 마리아릴케, 2023

　무언가를 잘할 수 있는 방법을 아는 단 한 사람, 바로 나, 누구
에게도 답을 구할 수 없다는 말은 오히려 나의 능력을 무한 긍정
하며 내가 하는 일을 묵묵히 이어나갈 수 있도록 해준다.

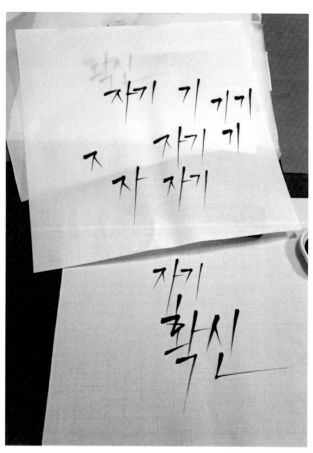

자기 확신, 2023

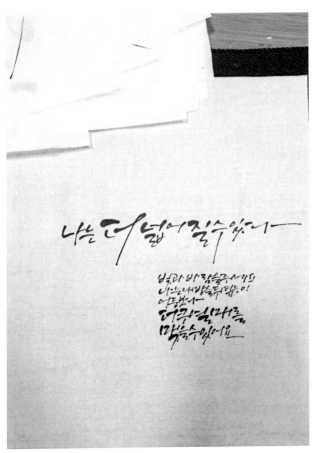

분갈이 _ 정다연, 2023

우리 함께
글씨공부 할까요?

어느 날 책에서 정말 마음에 드는 문구를 발견했다. 써보기로 마음먹은 뒤 시작해 보면 처음에는 잘되지 않는다. 그다음 날 써보는데 또 썩 마음에 안 든다. 그리고 또 그다음 날 이제는 조금 빛이 보이는 듯하지만 만족할 만한 수준은 아니다. 다음날, 드디어 마음에 쏙 드는 손글씨를 완성!! 이렇게 처음부터 완벽할 수 없다는 것을 인정하고 시작하면 그 과정이 어렵지 않다. 처음부터 이 한장에 혼을 불사르겠다는 무서운 마음으로 달려들게 되면 금방지쳐 쓰러지게 된다. 멀리 가려면 처음부터 너무 힘을 줘서 시작하면 지치기 마련이다.

어떤 일이든 처음에는 모두 서툴기에 잘되지 않을 수 있다는 것을 글씨를 쓸 때마다 생각한다. 그래도 해보자, 해보자! 내려놓지만 않는다면야 무엇이든 못 이룰 게 있겠는가.

역설적이게도 완벽할 수 없다는 사실은 매일의 나를 움직이게 한다. 매일 똑같은 하루에 매일 다른 나를 맞이하는 기쁨이랄까? 완벽이라는 한계점이 없기에 더 나아질 수 있고 더 넓고 깊어질 수 있다. 그 과정들 안에서 나를 믿고 맞이하는 작은 성공으로 행복을 얻게 된다. 얼마나 더 성장할지 아무도 모르는 기대감, 조금 더디지만 나에겐 한발 한발 내디딜 수 있는 힘이 된다.

이렇게 손글씨를 쓰는 동안 많은 삶의 지혜들을 깨닫게 된다. 시작의 중요성, 매일매일의 힘, 꾸준하게 나를 믿고 나아가는 과정들 그리고 거기서 오는 작은 성공의 기쁨까지... 모두 손글씨만이 담을 수 있는 내용들이다. 자판을 두드려 만든 글씨에서는 보여줄 수 없는 이야기들이 가득 담겨있다.

작품 한 장을 위해 고민했던 수많은 연습들은 보이지 않는 더 큰 나를 만들어 가게 될 것이다. 매일 다른 나를 만나고 성장하는 하루를 만들 수 있도록, 우리 함께 글씨공부 할까요?

오늘도 조용히 붓을 집어 듭니다.

나의 삶의 의미를 찾다.

가치디자이너 왕혜연

가치디자이너 왕혜연

×

공무원으로 6년을 일하다 보니 소진이 왔다.
치열하게 나에 대해 고민했고, 여러 가지를
도전했다. 그렇게 달려오니 나의 삶의 의미도
찾고 동생도 살아나게 되었다. 이제는 누군가의
삶의 의미를 찾아주기 위해 애쓰고 있는
가치디자이너의 삶을 보여드리고자 한다.

왕혜연

성이 특이하다보니 지인들은 나를 "혜연아"보다 "왕", "왕아", "왕언니" 하며 부른다. 익숙해져서 "왕"이라 불러도 뒤돌아보고, 대답을 하기도 하는데 내 이름을 모르는 사람들은 "왕"이라 할 때 내가 답하면 나와 그렇게 부른 사람을 신기하다는 듯이 쳐다보기는 한다. 하지만 나는 내 이름이 좋다. "혜연아"라고 불리는 게 더 좋다.

내 이름은 왕혜연이다. 한자로는 임금 王, 은혜 惠, 연못 淵으로 쓴다. 이 이름의 뜻은 기독교적 의미가 담겨 있다. 은혜의 샘이 펑펑 흘러넘친다는 뜻을 가지고 있다. 은혜가 펑펑 흘러넘치려면 받은 은혜도 많아야 하기에 은혜를 많이 받는다는 뜻이기도 할 터. '은혜'라는 단어의 의미가 넓게 쓰일 수 있다는 생각이 든다.

라이프 성경 사전에서는 은혜라는 단어는 '기쁨이나 상냥함, 사랑스러움' 혹은 '호의나 친절, 자비, 긍휼' 그리고 '윗사람이 아랫사람에게 베푸는 친절이나 사랑' 등을 의미한다.

그중에서도 성경은 하나님이 값없이 베푸시는 선물(창 6:8), 특별히 아무런 조건 없이 죄인을 용서하고 구원과 영생을 주시는 하나님의 초월한 사랑이라는 뜻으로 이 단어를 많이 사용하고 있다고 정의하고 있다.

그래서인지 나는 인복도 많고, 먹을 복도 참 많다. 그리고 대학생 때 친구가 한 말이 있다.

"너는 네가 하는 거에 비해서 많은 사랑을 받는다"

이 말을 들었을 때는 갸우뚱했지만 지금은 알고 있다. 정말, 감사하게도 그렇게 살고 있다.

앞으로도 이름의 뜻대로 살고 싶다. 여기에 더해 3P자기경영연구소에서 배운 단어도 추가하고 싶다.

바로 "주주또"

이 단어의 뜻은 '주고, 주고, 또 주라'라는 뜻이다.

왕혜연, 주주또, 그렇게 살아가고자 한다.

8년 차 사회복지직 공무원

올해로 공무원으로 일한 지 8년 차가 되었다. 지방직 공무원인 나는 지자체 소속으로 동과 구청에서 일을 한다. 인사발령에 따라 때로는 동에서 때로는 구청에서 일을 하는 것이다.

공무원에 임용된 첫날 기대에 부풀렸다. 임용식에 부모님도 함께할 수 있게 해주셨는데 아버지가 정말 기뻐하셨다. 아버지는 엄청난 표현을 하시진 않았지만 그래도 알 수 있었다. 임용장을 받으며, 아버지와 나는 구청장님과 함께 사진을 찍었다. 자랑스러운 딸이 된 나는 굉장히 기뻤고, 이제 다 됐다 싶었다. 임용식을 마치고 구청의 사회복지계열의 각 과를 돌아다니며 잘 부탁드린다고 인사를 드렸다. 그리고 발령받은 부서로 갔다. 그리고 그날 야근을 했다. 공무원은 철밥통이 아니었다. 18시에 퇴근하는 줄 알았다. 그렇게 믿고 공무원이 되고자 한 이유도 있었는데, 그 믿음이 단 하루 만에 깨졌다. 23시, 24시까지 불이 켜져 있는 사무실이 참 많았다. 그 중에 나도 하나라는 사실이 슬펐다. 처음 맡은 업무는 '긴급지원'이었다. 긴급지원은 갑작스러운 위기로 소득이 없어지면 생계비를 지원해 위기상황에서 벗어날 수 있게 하는 제도였다. 지금은 72시간 내에 생계비를 주는 것이지만, 2015년에는 48시간 내에 지원을 해줘야 했다. 48시간 내에 지원을 해줘야 하니 한 달에 40시간 이상씩 야근을 하며 8개월을 지냈다. 긴급지원은 '선지원, 후처리'였지만 최대한 소득, 재산 기준에 맞는 사람으로 선정해야 했다. 왜냐하면 소득, 재산 기준에 맞지 않으면 환수해야 했기 때문이다. 벼랑 끝에 있는 사람들이었기에 지원을 해주지 않거나, 환수하게 되면 민원의 강도는 정말 셋다. 무섭고, 버거운 날들이 이어져 갔다. 그렇게 8개월을 지내다 인사발령이 났다. 그 후로도 쉽지는 않았다. 정말 일이 많았고, 어려웠고, 배워야 할 것 투성이었다. 그래도 하다 보니 익숙해졌지만, 나의 일들이 무의미해졌다. 공무원 업무는 나만 할 수 있는 일이기보다 모든 사람이 할 수 있는 업무였다. 그리고 또 한 가지, 인사발령 시스템은 끔찍한 편이다. 금요일에 인사발령 공고가 뜨면 월요일부터 바뀌는 게 정말 아직도 너무 힘들다. 금요일 공고가 뜨는 시간은 보통 18시 즈음이다. 그러면 그 시간부터 토요일, 일요일은 당연히 출근을 해서 내 업무를 정리하면서 인수인계서도 작성해야 한다. 이틀 만에 모든 것이 해결되지 않는다. 적어도 2주에서 한달 간은 야근을 하며 업무를 가르치기도 하고 배우기도 해야 한다. 그러는 사이 민원은 다 봐야 한다. 민원인은 내가 여기에 온지 하루, 이틀인 것을 고려하지 않는다. 이전 담당자만큼 잘해야 하는 것이다. 또한 새로운 환경에서 적응해야 하는 것도 포함이다. 8년의 기간 동안 나는 다른 사람들에 비해 발령이 잦았다. 거의 1년에 한 번씩 났다. 자주 발령이 나는 것에 비해 아직도 적응하는 게 쉽지는 않다.

공무원이라는 직업에 대해 회의를 느끼는 시간들이 많아졌다. 민원인들은 무례했고, 막무가내였다. 당장 생계비를 주지 않으면 나를 어떻게 해버릴 것처럼 굴었고, 친절하고, 좋게 설명해도 원칙대로 했다며, 융통성이 없다면서 화를 내며 따졌다. 정신질환자와 알코올중독자, 치매 걸린 할머니, 수감생활로 일상생활이 이전처럼 안되는 사람, 우울한 사람들이 주로 나를 찾아왔다. 머리를 감다가도 처리해야 할 민원들과 힘들게 하는 민원들이 생각났다.

상담을 만나다

2021년 상담심리대학원 심리상담학과에 입학했다. 인천에 사는 나는 인천대와 인하대에 지원했고, 두 대학에 모두 다 합격했다. 2012년에 대학을 졸업한 지 어언 10년만에 다시 대학의 문을 두드린 것이라 서류준비도 면접도 굉장히 떨렸고, 어떤 조언도 듣지 못한 채로 혼자 준비한 것이라 걱정도 많았는데 합격한 것이라 내심 기뻤다.

상담을 배우고 싶다는 생각이 대학원과 연결된 데에는 두 가지가 컸다. 하나는 26세부터 공직의 길로 들어서며, 사회복지사와 공무원 그 중간에서 사람들의 30년 치, 40년 치, 50년 치의 이야기를 들어야 했다. 누군가는 나에게 이야기를 하며 눈물을 쏟아냈다. 나를 찾아오는 분은 대부분 내 또래가 아니다. 적어도 스무 살, 서른 살 가까이 차이나는 분들이었다. 자식과 같은 나이, 자식보다 어린 나이의 사람에게 자신의 이야기를 하는 게 어디 쉬웠으리라 생각이 든다. 그분들의 이야기를 행정적으로 담아내야 하는데, 그 과정이 내게도 많이 어려웠다. 내가 파악할 건 소득, 재산, 생활실태였는데 그분들은 자신의 모든 이야기를 하고 싶어 했다. 말 끊는 재주가 없던 나는 한 시간이고 두 시간이고 들었다. 그러면 그분들은 고마움을 표했다. 나는 잘 들어드렸다. 눈을 바라봐 주었고, 집중해서 들었고, 필요한 부분을 적었다. 이렇게 듣다 보니 민원인들은 생계비 지원을 받고 난 뒤 편지를 들고, 선물을 들고 찾아왔다. 그 선물을 받을 수는 없었지만 편지는 받았다. 아직도 간직하고 있다. 어떤 분은 내 결혼식에도 와서 축하하겠다고도 해주었다. 그 말들이 참 뭉클하게 느껴진다. 이런 시간들이 쌓여서 내게 오는 분들이 내게 이야기를 할 때 그 말을 잘 담아내고, 잘 공감해 주는 사람이 되고 싶어졌다.

그리고 대학원에 가게 된 이유는 2018년에 신규로 들어온 주무관님 덕분이다. 흘리듯 말한 "대학원에 들어가서 공부를 할까봐"란 말이었다. 그 말에 "대학원이요?" 하고 되물었던 게 기억난다. 그리고 알게 되었다. 나도 대학원에 갈 수 있구나. 그렇게 대학원에 대한 마음과 상담에 대한 마음이 합쳐져서 갈 수 있었다.

대학원

대학원에 입학한 건 정말 잘한 결정이었다. 공무원 6년 차, 딱 환기가 필요한 시점이기도 했고, 이제는 '나'를 바라봐야 할 시점이기도 했고, 약간은 막막하고 답답했던 인간관계에 깊이를 더해줄 배움이 필요한 시기였다.

대학원에 들어가서 새로운 사람들을 만났다. 다양한 직업군의 사람들이 상담을 배우기 위해 모인 자리였다. 직렬이 다른 공무원도 있었고, 간호사, 사회복지사, 전역한 군인도 있고, 정말 다양한 사람들이 모여있었다. 그리고 심리와 상담에 대해서 배웠다. 또한 과제로 내주신 실제로 상담받기로 나는 '나'에 집중할 수 있었다. 학생상담센터에서 인턴상담사로 학생들을 상담할 기회도 주셨다. 슈퍼비전을 받으며 상담사로서의 모습을 갖춰갈 수 있었다. 그곳에서 만난 동기 선생님들과의 인연도 계속 이어오고 있다. 현직 상담사가 된 분도 계시고, 여전히 직업을 유지하며 상담사로서의 역량을 키워가는 분도 계시다.

'나'를 마주하다.

대학원 1학차 때 가족상담 교수님께서 '원가족 분석을 통한 자기분석 하기'를 과제로 내주셨다. 이 과제는 8회기 이상 1:1 상담을 받은 후에 작성하라고 하셨고, 무료상담을 받을 수 있도록 상담사선생님을 연결해주었다. 정인숙상담사님을 만나서 35회기나 상담을 받을 수 있었다. 정말 고마운 분을 만나서 거의 1년간 받았는데, 매번 나를 위해 시간을 내주시고, 내 이야기를 들어주셨다. 나는 말이 별로 없는 내담자였는데, 상담사님은 내 이야기를 할 수 있도록 계속 질문해 주시고, 자신의 이야기도 해주셨고, 나는 내 이야기를 잘할 수 있게 되었다. 이 시간은 마냥 행복한 시간은 아니었다. 울기도 참 많이 울었고, 답답하기도 많이 답답하고, 아프고, 슬프고, 고통스럽고, 괴로운 시간이었다. 상담을 받고 나면 먹먹해서 혼자만의 시간이 필요하기도 했다. 늘나의 시선은 타인이었는데, 이 시간만큼은 나를 향했기에 어색하고, 낯설었다. 엄마 이야기를 나는 정말 하고 싶었는데, 그걸알아채시곤 그 이야기를 할 수 있는 장을 마련해 주었다. 또한독립적인 내가 될 수 있도록 도와주시기도 했다. 같이 울고 웃은그 시간들이 정말로 감사하고 이 자리를 빌려서 그 마음을 전하고 싶다. 정인숙상담사님. 건강한 상담사로 오래오래 계셔주세요. 저를 위해 내주신 시간과 관심, 그리고 오랜 시간 연마한 전문성 덕분에 저는 지금 건강하게 앞을 바라보며 살고 있어요. 봐야 할 것들을 보게 하고, 끊어낼 것들을 끊어내게 하고, 키워야 할 것들을 알게 해주셨습니다.

감사합니다.

내가 추구하는 상담이론 :
로고테라피

대학원 4학차, 마지막 학기, 마지막 수업시간에 운명처럼 로고테라피에 대해 배웠다. 교수님께서 암 투병 중이신 아버지께 빅터 프랭클 박사의 '죽음의 수용소에서'라는 책을 선물하셨고, 아버지는 자신의 삶의 의미를 정리하고, 인생의 마지막을 사랑하는 사람들과 작별을 미리 하며 본인도, 가족들도 죽음을 온전하게 받아들일 수 있도록 하셨다는 것이다. 그 후, 아버지는 평온하게 돌아가셨다는 이야기를 해주셨다. '죽음의 수용소에서'라는 책은 빅터 프랭클 박사가 나치의 강제수용소에서 겪은 일들을 바탕으로 쓴 책이다. 수용소에 끌려가기 전에 이미 로고테라피 이론은 완성된 상태였고, 이 이론을 강제수용소에서 적용이었다고 한다. 똑같은 지옥 같은 수용소에서 어떤 사람은 성자처럼 행동하고, 또 다른 사람은 돼지처럼 행동하는 것을 보았다고 한다. 이것은 인간의 의지에 달려있는 것으로 보았다고 한다. 인간에게 있어 또 하나의 중요한 것은 자신의 삶의 의미를 아는 것이다. 내가 삶에서 기대하는 것은 무엇인가 보다 삶이 나에게 기대하는 것은 무엇인가로 접근해야 한다고 이야기 한다. 이 로고테라피만 제대로 안다면 실존적 공허로 고생하는 사람들을 확실하게 도와줄 것이라 믿는다.

로고테라피를 배우며 나의 삶의 의미를 알게 되었다. 바로 '함께 기쁜 삶'이다. 나는 어렸을 때부터 사람이 좋았다. 함께 하는 게 즐겁고, 같이 사이좋게 지내는 게 좋았다. 나만 행복하고 기쁜 삶은 바라지 않는다. 내 주변도 마찬가지로 기쁘고 행복하기를 바란다. 또한 내가 겪은 고통들도 다시금 생각하게 됐다. 고통을 바라보는 관점도 바꿔주었다. 지난날의 고통이 있었기에 오히려 어떤 일들은 잘 풀린 경우도 있고, 훗날의 일의 밑거름이 된 일들도 있었다. 그렇게 나는 나를 다시금 건강하게 만들어 갈 수 있었다.

'공무원으로서 나'도 돌아보게 되었고, 공무원이라는 직업이 주는 안정감과 무엇이든 시작할 수 있다는 위치라는 게 새삼 감사했다. 또한 누군가는 나를 통해 절망에서 희망을 발견할 수 있기에 내 직업이 누군가 에게는 한줄기 빛이란 생각이 들었다.

내 동생 정현이

나와 내 동생은 연년생 남매이다. 나는 근래에 들어서야 동생을 있는 그대로 인정하고 존중하기 시작했다. 그전까지는 통제적이었다. 내 마음대로 하려고 했던 게 있었는데, 상담을 배우고, 나의 말들과 생각들을 슈퍼비전 받으면서 나를 객관적으로 보고 고칠 수 있었다. 오랜 시간 통제적인 나로 인해 고생했을 동생에게 미안하다. 다 널 위했다는 말도 안 되는 말을 한 것도 참으로 미안하다.

내 동생은 엄마가 돌아가신 후 마음고생을 참 많이 했다. 엄마의 부재가 아빠도, 나도, 동생에게도 오랜 시간 힘들고 괴롭게 한 것이다. 그게 동생에게는 크게 왔다.

그런 동생이 이제는 다시 세상에 우뚝 서려 하고 있다. 무려 11년만이다. 당뇨를 겪으며 또 한번의 위기가 있었는데, 40키로 감량과 식생활 개선, 영양제 섭취로 지금은 당뇨를 이겨낸 상태이다. 이 엄청난 과정을 이겨낸 동생이 정말 자랑스럽고, 멋지다. 동생이 다시 일어서기를 기다리는 일이 쉽지는 않았지만, 계속 무언가를 같이 하자고 했다. 거절이 빈번했지만, 포기하지 않았다. 또한 나도 특별히 용기를 낸 건 제주도 여행이다.

"정현아, 제주도 갈래?"

그 여행이 새로운 우리의 시작을 만들어주었다.

우리는 2023년에 함께 3P자기경영연구소에서 코칭을 배우고, 독서를 배우고, 건강공부를 하고 있다. 동생은 청년 당뇨로 절망에 빠진 청년들을 돕는데 힘쓰겠다는 비전도 세웠다. 내년에는 왕남매라는 브랜드를 가지고 코칭도 하고, 교육도 하고, 독서모임도 진행하려고 하고 있다. 앞으로가 더 기대가 되는 우리 남매다. 사랑하는 동생은 사실 나보다 뛰어난 점이 많다. 가장 특별한 건 유지, 지속할 수 있는 끈기이다. 이 끈기가 있는 동생에게 방향만 제대로 설정된다면 목표는 분명 이룰 것이다. 왕남매가 이렇게 함께 성장할 수 있도록 도와주신 분들에게 감사의 인사를 전하고 싶다. 아버지, 항상 곁에 계셔주셔서 감사합니다. 그리고 홍지숙·이재덕강사님, 강규형대표님 감사합니다. 정말 앞서서 주주또를 실천해주시고, 그 대상이 저희라는 점이 감사할 따름입니다. 또 늘 곁에서 내 결정을 응원해 주고 지지해 주는 예서, 다솔, 상민, 의정, 지현아 고마워. 친언니 같이 지선언니, 소라언니 고마워요.

연애편지

미미

미미

×

우리는 신혼. 6년간 서울과 대구를 오가는
장거리 연애끝에 결혼한지 1년 남짓된 열 한
살 연상연하 부부. 어쩌다 전업주부가 되어
매일 남편만을 기다리는 부인이 남편에게
보내는 첫 연애편지.

연애편지 하나.

아무리 생각해도 내가 신부입장할 때 꽈당하고 뒤로 자빠진건 너무 창피한 일이야. 그런데 사실 별로 창피하지도 않았다. 어! 어! 어 이거 뭔가 걸렸는데, 나 넘어질 거 같은데.... 나 넘어진 다? 엇! 넘어졌네? 어서 일어나야지. 사람들 기다리겠다. 나는 벌떡 일어나 다시 걸어갔어. 나보다 하객들이 놀랬을까봐 그 어 느때보다 환하게 웃어보였어. 그러니 아무 문제 없다고, 여러분 놀라지 마시라!

당신 친구들이 그랬지.
"너 결혼 잘했다! 어느 신부가 한번뿐인 자기 결혼식에 새벽부 터 내내 한껏 꾸몄을텐데, 드레스 그렇게 입고 넘어지고도 벌떡 일어나 걸어오겠냐. 인상 한 번 안 찡그리고. 두번째 결혼식인것 마냥, 그거 대단한거야!"
칭찬인지 모를 그 말, 난 칭찬으로 들을거야.

그때처럼 살다가 다시 넘어지더라도, 앞으로 넘어져 코가 깨지 고 뒤로 자빠져 엉덩뼈가 두쪽나도 또 다시 일어날게. 그 때 그 날처럼 내 손 잡아줘. 그거면 족해.

연애편지 둘.

남편아, 내가 이야기 하나 해줄게. 동화라고나 할까? 나중에 그림동화책으로 만들고 싶은데 한번 들어봐.

옛날 옛날 어느 마을에 신비로운 나무가 있었어. 사계절 푸르렀고 사계절 열매가 열렸지. 아무리 생각해도 특별해서 사람들은 이 나무가 소원을 들어줄지도 모른다고 생각하게 되거야. 사람들이 하나 둘 모여 나무에 대고 소원을 빌기 시작했어. "나무님, 제 소원을 들어주세요. 저에겐 밭을 갈 소가 한마리도 없어요. 저에게 소를 내려주세요." 또 다른 사람은 "나무님, 제 소원도 들어주세요. 초가집이 허물어져가고 있어요. 궁궐같은 기와집을 내려주세요." 하고 온 마을 사람들이 매일 소원을 빌러 모여들었어. 그런데 사실 나무는 소원을 들어줄 신기한 힘은 없었대. 나무는 고심끝에 나뭇잎을 더 크고 강하게 키워냈대. 얼마나 크게 키웠냐면 소원을 말하는 사람들의 소리가 그 나뭇잎에 부딪혀 메아리 칠 정도가 되지. 온 마을에 온 마을 사람들의 소원이 울려퍼지니 사람들은 서로를 돕게 되거야. 소가 두마리인 사람이 소가 없는 사람에게 소를 빌려주어 풍년이 들고, 매일 조금씩 기와를 구워 옮겨와 집을 짓는걸 도왔어. 사람들은 점점 소원을 이뤄 행복해졌고, 나무도 더이상 나뭇잎을 더 더 크게 키울 필요가 없어진거야. 나무잎을 다시 작아지고 얇아졌어. 하찮아지기 일보직전이였지. 그때였어. 작은 아이가 나무앞을 지나다 떨어진 나뭇잎 한 장을 집어들고 풀피리를 불기 시작했어. 풀피리는 어느새 아름다운 음악이 되었고, 온 마을에 잔잔하게 울려번졌지. 온 세상이 풀피리 소리에 포근해졌어. 이야기 끝!

연애편지 셋.

"그런데 미미씨는 왜 우리 아들이랑 결혼하려고.. 그러니까 어쩌다 결혼 결심을 했는지 궁금해요." 내가 처음으로 시댁에 인사드리러 간 날 아버님이 물으셨지. 애지중지 키운 아들보다 열 한 살 이나 많은 여자를 며느리로 보신다니 얼마나 기가 막히고 코가 막히셨겠어.

"네, 저희가 만난 시간이 이제 6년 정도 지나면서 자연스럽게 일상을 함께하고(연애를 길게 했다는 것을 어필!)

그 일상에서 서로 대화가 너무 잘되고 서로가 서로에게 의지되고 (우리가 잘 맞는다는 것을 강조!) 있어요. 사람들은 이 사람이 말이 많이 없다고 생각하는데, 이 사람은 저한테 오늘 점심은 누구랑 먹었는지, 어떤 어떤 반찬들이 나왔는지 시시콜콜 다 이야기 해요(내가 아닌 남편이 내게 더 푹 빠져있다는 것을 은연중에) 나도 그렇고, 이 사람도 이제 서로에게 없어서는 안 될 것 같아요.

또 제가 일 년 전부터 강아지를 키우고 있는데 처음에는 반대하더라구요. 그런데 막상 키우고 나니 저보다 이 사람이 강아지에게 지극정성이에요. 한 생명에게 책임을 다하는 모습을 보니 이사람에 대한 믿음이 확고해졌죠.(아들을 치켜세움으로 부모님 뿌듯하게 하기!) 그리고 이 사람을 통해서 어머님, 아버님 생활하시는 모습을 들어보면 두 분 금실이 너무 좋으시고 아버님이 너무 다정다감하게 어머님께 하시는 모습을 보니(이때 아버님 함박웃음 지으심, 역시 칭찬만한게 없지) 자연스럽게 결혼생활이 그려지더라구요"

   이때 나는 알았어. 우리 날 잡겠다... 말 한마디에 천냥빚을 갚았지 뭐야. 거봐, 나 자신있다고 했지? 나만 믿어!

연애편지 넷.

부부는 닮아야 잘 살까? 달라야 잘 살까?
화덕피자를 좋아하는 나와 순대국밥을 좋아하는 너.
귤을 좋아하는 나와 까줘야 겨우 먹을까말까하는 너.
겨울이 힘든 나와 여름이 힘든 너.
드라마를 좋아하는 나와 무한도전을 사랑하는 너.
빨래에 자신 있는 나와 청소가 자신 있는 너.

식당에 가서 반찬 리필을 못하는 우리.
양보하다 양보하다 언제나 맨 꼴지가 되어버리는 그런게 마음
편한 우리.
잠이 많아 토요일 오전에는 서로 깨우지 않기로 약속하는 우리.
다른 점, 닮은 점이 반반이니
우리의 결혼생활은 반은 행복하고 반은 어려울까?
어렵더라도, 당신이 없던 지난 시간보다
당신과 함께 할 앞으로의 시간이 더 기대돼.
이건 나의 고백이야.

연애편지 다섯.

봄 햇살이였던 거 같아. 퇴근 후였던 것 같고, 아직 해가 지지 않은 늦은 오후의 바람이였어. 동묘역이였어. 그건 확실해. 그 사거리 코너를 가로지르며 나는 속사포처럼 뱉어내기 어려운 이야기들을 쏟아냈어. 그냥 말하고 싶었어. 이 말들을 듣고 있는 당신이 아무런 타격감 없는것처럼 묵묵히 듣고 아,어,그랬구나, 그래와 같은 적절한 호응만 덧붙여줘서 참 다행이다 라고 생각했어.

나는 지난 사실과 지금의 감정과 구차한 상황까지 앞뒤 없이 생각나는대로 떠들어댔고, 저기 어디 있는지도 모를 신장이나 간같은 장기들까지 적나라하게 수술대 위에 꺼내놓는 심정이였어. 더이상 감출것도 숨길것도 없었어. 나는 벼랑 끝 같았거든.

그때 난 울지 않았어. 울지 않았다는 건 이성의 끈을 붙잡고 있었다는 뜻이야. 잘했다고 생각해. 당신은 모르겠지만 그때 넌 내게 합격을 받은거야.

연애편지 여섯.

자기도 눈치 챘을지 모르겠지만 난 뭐든지 다 느렸어.
한글도 모르고 국민학교에 입학해서 애를 먹었고,
달리기 시합은 언제나 꼴등이었어.
사춘기가 늦게 와 고2때쯤 삶이 고단해졌고,
긴 방황 끝에 스물 일곱에 적성을 찾아 대학에 들어갔지.
당연히 사회생활도 늦어 서른 셋이 되어서야
첫 직장생활을 시작했고,
남들 이십대에 다니는 배낭여행을 난 서른일곱에 해봤지.
결혼은 마흔 셋, 내년 마흔 넷에 첫 아이를 낳게 되었어.
나의 시간은 앞으로도 이렇게 느릴 거 같아.
내 나이가 오십이 넘어야 우리 아이가 초등학교에 입학하게 될거
고, 그 아이가 대학생이 되면 난 할머니가 되어가겠지, 아이쿠야.
그런데 여보, 나 빠른 것도 있어.
남들보다 마음은 언제나 일등이라는 거야. 진심만은 항상 앞서
가고 있다는 거야. 내 입에서 흘러나오는 노랫소리와 손 끝에서
전해지는 따스함과 눈빛으로 내보내는 긍정의 힘은 아주 빨라.
그래서 내게 반한거 맞지?

연애편지 일곱.

취미라고는 고작 전 세계 축구 경기 중계를 보는 것과 여행 브이로그를 보는게 다인 남편.

8주 차 심장소리를 듣고도 한다는 말이 '실감이 안 나'가 고작인 너.

거창하게 요가매트와 폼롤러를 꺼내서는 고작 종아리 마사지가 운동 전부인 당신.

뭐 먹고 싶냐고 물으면 늘 같은 메뉴 고작 '치킨?'이라고 답하는 내남편.

'내생일 선물 뭐사줄거야?'라고 물으니 고작 한다는 말이 '생각해봤는데 생각이 잘 안 나' 늘 대답이 같은 당신.

너는 '고작' 그런 남자지만, 고작 그런 남자가 세상 소중한 나도 고작 이런 여자이니 무언가 대단한 것, 특별할 것 없는 하루를 차곡차곡 쌓으며 살자.

영화 산책

꽃자리

꽃자리

×

개인적으로 가장 감동 깊게 본 영화
일곱 편을 기록하고자 한다.

화양연화

감독: 왕가위

고독, 너와 나의 짜릿한 간극, 그 짧은 거리에서.

사람들은 누구나 일정 부분의 고독을 감당하며 살아간다.
'군중 속의 고독'이나 '사람이 섬'이라는 말이 괜히 나온 것
이 아니다.
친구를 사귀고 연애하고 결혼해서 가정을 꾸려도 근본적으로
누구에게나 고독이 존재한다. p60. (땡큐 포 더 무비 중에서)

화양연화(花樣年華): 인생에서 가장 아름답고 행복한 시간

나의 화양연화는 언제였을까?
그 시기를 떠올리면 알 수 없는 공허감이 밀려온다.
그러다, 알게 되었다.
각인된 상실은 상실이 아니라는 것을.

OST : In The Mood For Love

봄날은 간다

감독: 허진호

"사랑이 어떻게 변하니?"
사랑은 변한다.
변하는 것이 어디 사랑뿐일까?
세상에 변하지 않는 것은 없다.
영원한 것은 없다.
20대인 사랑과 30대의 사랑과 40대의 사랑이 어떻게 같을 수
있을까?
성우가 반문하는 것과 은수가 동의할 수 없는 '그래?'와 '그래.'

오래전과 최근에 본 명장면은 나에겐 같았다.
치매 걸린 상우할머니가 마루에서 오지 않을 사람을 기다리며
흥얼거리던 노래

봄날은 간다.
다시,
봄날은 온다.

OST : 〈봄날은 간다〉 김윤아

헤어질 결심

감독: 박찬욱

산,

바다

그리고, 안개

"지혜로운 자는 물을 좋아하고 인자한 자는 산을 좋아한다고
했습니다." 서래의 말
"나는요... 완전히 붕괴됐어요." 해준의 말

박해일과 탕웨이의 완벽한 연기, 마지막 장면은 나를 완전히
붕괴시켰다.
영원히 풀지 못한 미제 사건으로 남아 그의 곁에 박제되고
싶은 사랑,
서래를 찾아 헤매는 해준,

마침내....

OST : 정훈희와 송창식의 듀엣곡 〈안개〉

세상이 모든 계절

감독: 마이크 리

행복의 곁에서 불행은 더 극대화된다.
김혜리 작가는 말했다.
남의 고통을 들어줄 수 있고 공감할 수는 있겠으나 결코 불행의
끝자락에 있는 사람들을 '행복'한 사람은 이해하기란 어렵다.
마치, '긍정'의 위로가 '상처'가 되기도 하는 것처럼 말이다.

결국 삶은 스스로 만들어 가는 것이고 사람과 사람의 관계 역시
책임이다.
봄, 여름, 가을, 겨울...
세상의 모든 계절,
그 계절의 순환 속에서 불행과 행복의 간극 사이에 존재하는
사랑하는 가족, 친구, 이웃, 그리고 내가 있다.

문득,
인생의 사계절 중 나는 어느 계절에 머무르고 있을까?
내 씨앗은 잘 성장하고 있을까?
나의 계절을 채워주는 많은 사람과의 관계는 어떤가?
결론,
지금, 이 순간
나는 행복하다.

아들의 방

감독: 난니 모레티

영화를 보고 떠오른 단어는 '들여다보기'였다.

눈에 보이는 것,
눈에 보이지 않는 것.

감독이 '반복적인 일상에서 아들의 죽음으로 일상의 차이'를
두드러지게 표현하면서
담담하게 이야기하는 영화라는 평가가 좋았다.

매일 울고 있을 수 없으니 슬픔을 묻고 살아가야 하겠지만
자식의 죽음이 과연 치유가 될까?
치유되지 않는 슬픔도 있다.
예측할 수 없는, 상상할 수 없는 슬픔.
그 슬픔을 안고 사는 사람들....

OST : Nicola Piovani – La stanza del figlio

일 포스티노

감독: 마이클 래드포드

많은 이들로부터 존경받는 시인 네루다와 가난한 어부의
아들 마리오의 만남,
매일 네루다에게 편지를 가져다주는 전담 우체부 마리오는
시를 배우고 싶다.
사랑하는 여인에게 시를 선물한다.
시인을 만나 시의 세계와 춤춘다.

이 영화는 따뜻한 우정을 보여준다.
나이를 넘어선 우정,
부와 가난을 넘어선 우정,
앎을 넘어선 우정,
사람과 사람의 우정!!

OST : Suoni dell'isola - Luis Bacalov

에프터썬

감독: 샬롯 웰스

"사랑한다."
"사랑해"

아빠와 20여 년 전 갔던 튀르키예 여행에서 둘만의 기억이
담긴 오래된 캠코더를 꺼낸다.
함께 했던 뜨거웠던 여름의 여행에서 일어났던 기억의 떠올림.
뚜렷하지 않지만, 어렴풋한 그 기억들로
그때는 몰랐던 것을 이제는 조금은 알 수 있을 아련함.

영화를 보고 난 후 처음엔 몰랐던 감정들 속에서
이동진 평론가의 영화 평론을 듣고 눈물이 났다.
올해 선생님과 제자들이 함께 본 영화이며 영화에 대한 이야
기를 나눌 수 있었던 그 시간이 녹아들어 나에겐 더더욱 최
고의 영화로 기억된다.

영화에서 잊을 수 없는 음악 : Queen - Under Pressure

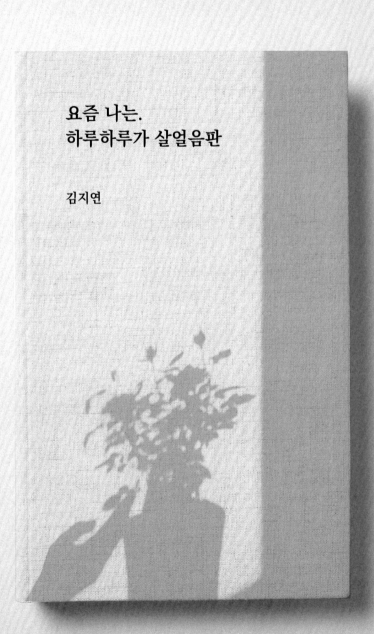

요즘 나는,
하루하루가 살얼음판

김지연

김지연

×

아무것도 안 하고 있는 것이 아니라
쉬어가고 있다고 말해주고 싶은 귀를 막은
내 딸에게 엄마가 하고 싶은 이야기

고래의 꿈

고래 그림을 즐겨 그리는 내 딸 영주에게

한라산에 첫눈이 내린 오늘
아르바이트 가겠다고 일요일 일찍 나가더니
자정이 가까운 밤까지 비어있는 너의 방을 자꾸만 바라보게 된다.
마음이 짠... 하다

안 그러려고 하는데도
이런 마음까지는
나도 나를 어떻게 하지 못하나 보다
엄마 눈엔 아직
설익은 복숭아처럼
왜 그리도 불안해 보이는지
모르겠다...

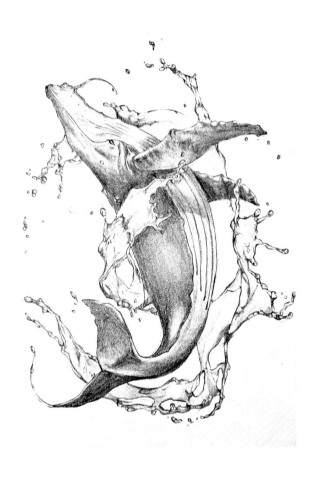

너의 오늘

다 지나 갈꺼야. 영주야

어제가 간 것처럼
지난달처럼
작년처럼
오늘 하루 잘 보내고 있는 엄마처럼
너도 오늘 하루 어서 보내버려라.

나비처럼

번데기에서 안 간 힘쓰고 나오고 있는 나비 맞지??
이쁜 날개를 펼치며 신나게~
날아갈 거지?

무엇이 너를 그렇게 힘들게 하는지
전부 알 수는 없지만
불안해 보았고
아파본 엄마는
네가 지금 보낸 모든 시간들을 진심으로 응원해...

삐딱함에 무뎌짐

"엄마, 저 데리러 와 줄 수 있어요?"
"미안, 엄마 경진 이모랑 맥주 마셨는데..."
"걸어오지 말고 추우니까. 꼭 지하철 타!"
......
"아니에요. 걸어갈게요."

'지하철 타고 갈게요'하면 좋겠는데...
미안함 마음이 더 커지네...

지금의 너에게 뭐라도 도움이 되고 싶었는데
걸어오는 길이 시원하고
가슴이 뻥! 뚫리기를...

우리둘이 힐링 제주여행

영주야.
겨울이 깊어지고 있지?
엄마도 많이 춥다.
가끔은 지치기도 하고...

약해지지 않으려고
또 너희들 앞에 든든한 어른으로 항상 서 있으려고
매 순간 노력하면서 살면서도
엄마를 누르는 이 무게가
너희들에게 혹시 많이 전해질까
조심스럽기도 하다.

어른이 되고, 늙어가면서도 살아가는 건
계속 모험이고
긴 여행인 것 같다.

되도록이면 긍정적으로 생각하고
무엇 앞에서도 자신감을 잃지 말았으면 좋겠다.
엄마도 그럴게!!

사랑한다

"엄마 생신 축하드려요."
핸드폰에 달랑달랑 반짝반짝 이쁜 곰돌이

이제 나는 나이 들어가고...
너는 다 컸구나. 센스쟁이 내 딸

사랑 많고
배려심 깊은 우리 영주는
세상에 나가서도, 따뜻한 마음으로
사람들을 사랑하고
또 많이 사랑받고
마음을 넓게 쓰는 좋은 어른으로
잘 성장할 거야.

고맙다 내 딸.

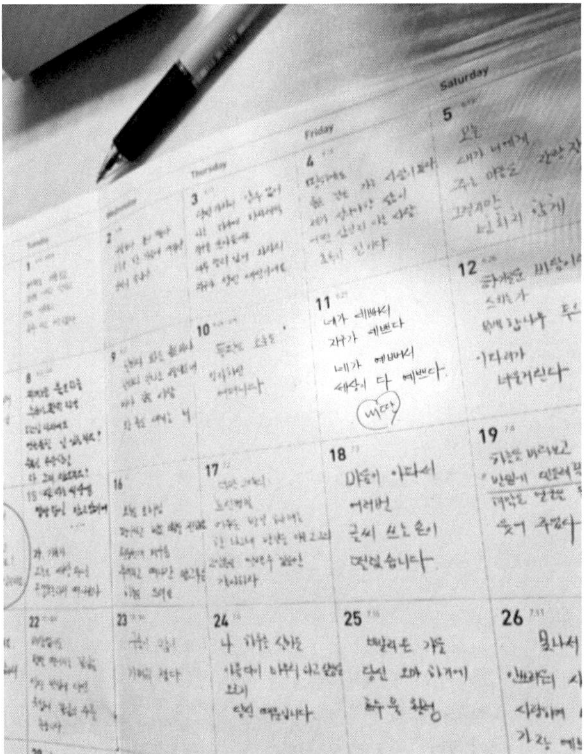
Thursday
Friday
Saturday

꿈꾸는 영주

이제 몇 달 후면 고3이 되는 내 딸에게.

힘이 들 때는 쉬어가고
천. 천. 히 가자.
조금 늦게 가도 괜찮으니까...

굽이굽이 돌아가도
구경하면서 가고.
꿈.꾸.고.
꿈은 꾸다 깨어나도 좋으니
다시 또 너의 꿈을 꾸고, 그리고,
꿈꾸는 영주로 지낼 수 있기를 엄마는 소망해.
여기까지 잘 와주어서
고맙다 내 딸.

이제 또 함께 뭐든 해보고, 어디든 가보자.

〈책만들기파워업 22기〉

함께 할 수 있어서 감사합니다

이하율

신수연

이나리

가치디자이너 왕혜연

미미

꽃자리

김지연